W9-DBH-435

Domitille de Pressensé

# émilie
## fait pipi au lit

Mise en couleurs : Guimauv'

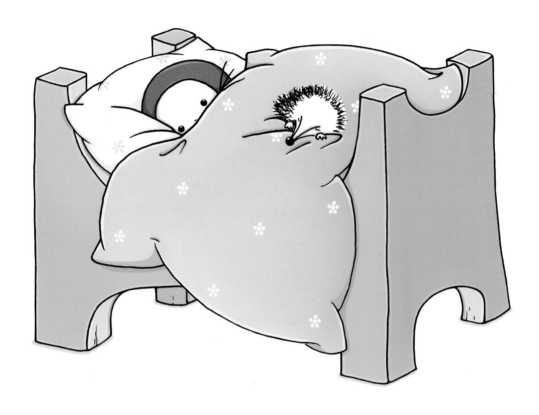

oh ! comme émilie a
bien dormi cette nuit !

son petit lit est juste
chaud comme il faut.

émilie se lève.

mais... mais...
la chemise d'émilie
est toute mouillée !

et puis...
son lit aussi !

# émilie a fait
# pipi au lit !

elle pleure.

qu'as-tu ?
demande stéphane.

mais... mais...
tu as fait pipi !

maman, maman,

viens voir !
émilie a fait **pipi**
dans son lit...

émilie
pipi !

émilie
bébé !

chante stéphane.

maintenant,

on va te mettre
une couche comme
à la petite élise.

t'es un bébé !

tra la la !

tu fais pipi !
tu sens mauvais !

# émilie pleure.

elle a beaucoup
de peine.

maman entre
dans la chambre.
elle lui fait
un gros câlin.

j'ai dormi très fort.
j'ai oublié
de me réveiller
pour faire **pipi**.

oh ! dit maman,
ce n'est pas
grave du tout.
ça peut arriver
à tout le monde.

à tout le monde ?

alors, ça peut arriver
à tous les enfants ?!

dis, maman,
quand tu étais
petite...

tu as fais **pipi** au lit
comme moi !?
... et papa !?

et... toutes, toutes
les grandes personnes
aussi, quand elles
étaient enfants !?

alors, ce n'est
vraiment pas grave,
si j'ai fait **pipi**.

ah ! tu vois bien,
stéphane, que je suis
comme tout le monde.

et tu verras, demain,
quand je me réveillerai...

je n'aurai même pas
fait **pipi** au lit !

Mise en page : Céline Julien
www.casterman.com
© Casterman 2009

Tous droits réservés pour tous pays.
Il est strictement interdit, sauf accord préalable et écrit de l'éditeur, de reproduire (notamment par photocopie ou
numérisation) partiellement ou totalement le présent ouvrage, de le stocker dans une banque de données ou de le
communiquer au public, sous quelque forme et de quelque manière que ce soit.

ISBN 978-2-203-01853-2
Imprimé en Italie
Dépôt légal : janvier 2009 ; D. 2009/0053/86
Déposé au ministère de la Justice, Paris (loi n° 49.956 du 16 juillet 1949 sur les publications destinées à la jeunesse).